leo lionni

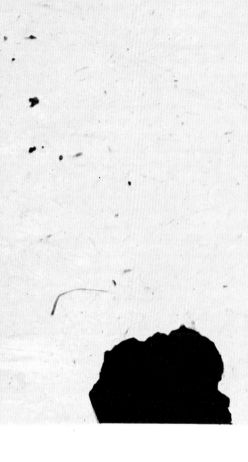

Die Deutsche Bibliothek – CIP-Einheitsaufnahme

Lionni, Leo:
Alexander und die Aufziehmaus / Leo Lionni.
Dt. von Robert Wolfgang Schnell. –
München : Middelhauve, 1994
Einheitssacht.: Alexander and the wind-up mouse <dt.>
ISBN 3-7876-9590-7

Middelhauve® Broschur
© Copyright 1969 und 1994 Leo Lionni und
Gertraud Middelhauve Verlag, D-81675 München
Alle Rechte vorbehalten

ISBN 3-7876-9590-7

Leo Lionni

Alexander und die Aufziehmaus

Deutsch von Robert Wolfgang Schnell

Middelhauve

»Hilfe, Hilfe, eine Maus!« Ein Kreischen, dann ein Krachen:
Tassen, Untertassen, Löffel flogen durchs Zimmer.
Alexander rannte in sein Mauseloch, so schnell ihn seine kleinen
Beine trugen.

Alexander wollte nur ein paar Brotkrumen suchen.
Jedesmal aber, wenn sie ihn sahen, schrien
sie um Hilfe oder verjagten ihn mit dem Besen.

Eines Tages, als niemand im Haus war, hörte Alexander ein Quieken
in Annes Zimmer. Er schlich heran — und was sah er? Eine andere Maus.
Aber keine gewöhnliche Maus wie er selbst. Wo er die
Beine hatte, hatte sie zwei kleine Räder, und in ihrem Rücken
steckte ein Schlüssel.
»Wer bist du?« fragte Alexander.

»Ich bin Willi, die Aufziehmaus. Ich bin Annes liebstes Spielzeug. Sie ziehen mich auf und lassen mich im Kreis laufen. Sie drücken und küssen mich. Nachts schlafe ich auf einem weichen weißen Kissen zwischen Puppe und Teddybär. Jeder liebt mich.«

»Aus mir machen sie sich nicht so viel«, sagte Alexander traurig. Aber er freute sich, daß er einen Freund gefunden hatte.

»Laß uns in die Küche gehen und was zu fressen suchen.«

»Oh, das kann ich nicht«, antwortete Willi. »Ich kann mich nur bewegen, wenn mich jemand aufzieht. Aber das macht nichts. Alle lieben mich.«

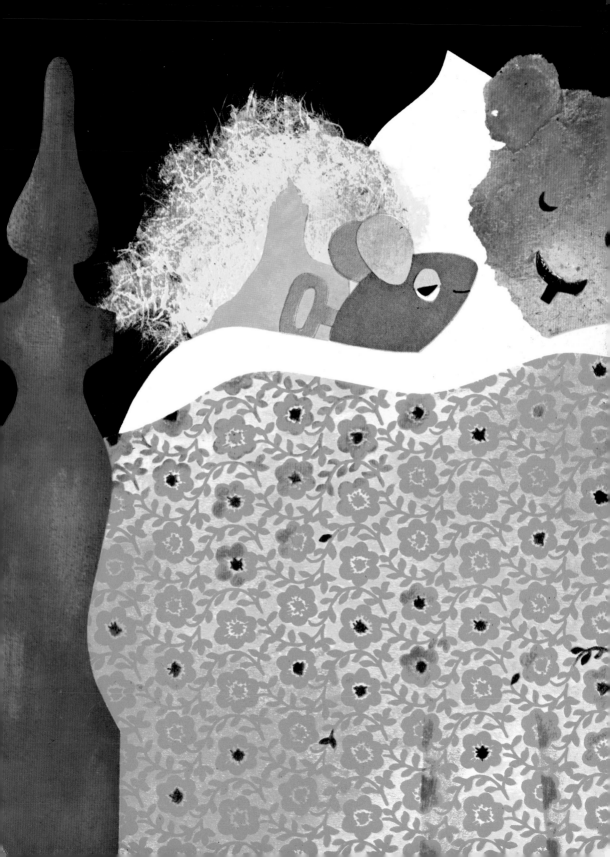

Auch Alexander merkte, daß er Willi liebte. Er besuchte ihn, sooft er nur konnte. Er erzählte ihm von seinen Abenteuern mit Besen, fliegenden Untertassen und Mausefallen. Willi erzählte vom Pinguin und vom Teddybär, am meisten aber erzählte er von Anne. Die beiden Freunde verbrachten viele glückliche Stunden zusammen.

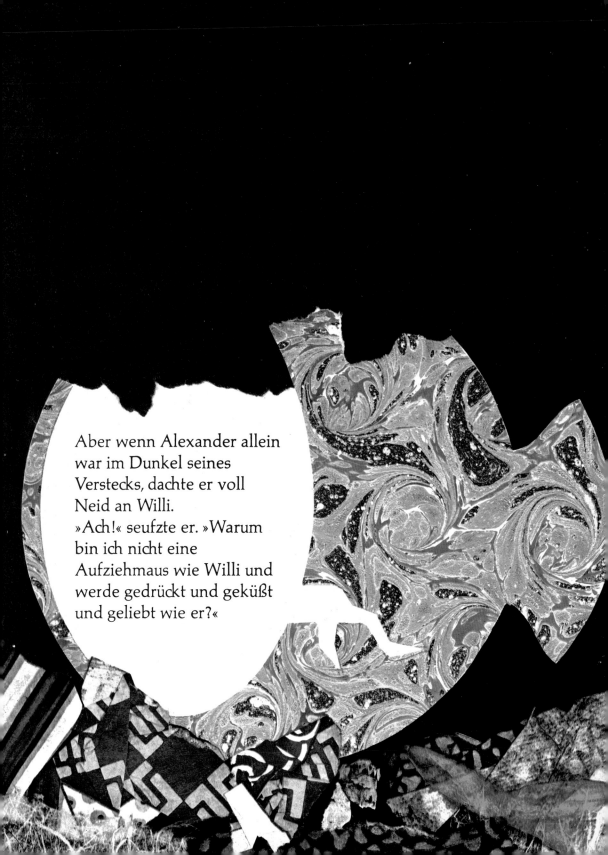

Aber wenn Alexander allein
war im Dunkel seines
Verstecks, dachte er voll
Neid an Willi.
»Ach!« seufzte er. »Warum
bin ich nicht eine
Aufziehmaus wie Willi und
werde gedrückt und geküßt
und geliebt wie er?«

Eines Tages erzählte Willi eine merkwürdige Geschichte. »Ich habe
gehört«, flüsterte er geheimnisvoll, »daß im Garten, am Ende des Kieswegs
hinter dem Brombeerstrauch, eine Eidechse wohnt. Sie kann zaubern:
Sie kann ein Tier in ein anderes verwandeln.«
»Meinst du, daß sie mich in eine Aufziehmaus wie dich
verwandeln kann?« fragte Alexander.

Noch am selben Nachmittag ging Alexander in den Garten und lief bis
ans Ende des Weges. »Eidechse, Eidechse«, flüsterte er. Und plötzlich stand
eine große Eidechse vor ihm, so bunt wie Blumen und Schmetterlinge.
»Ist es wahr, daß du mich in eine Aufziehmaus
verwandeln kannst?« fragte Alexander mit zitternder Stimme.
»Bring mir«, sagte die Eidechse, »wenn der Mond rund ist,
einen purpurroten Kiesel.«

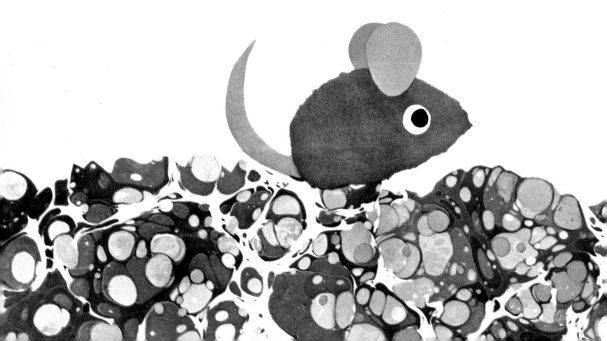

Tag für Tag durchsuchte Alexander den Garten
nach einem purpurroten Kiesel. Es war umsonst. Er fand
gelbe, blaue und grüne Kieselsteine.
Doch keiner, auch der kleinste nicht, war purpurrot.
Schließlich kehrte er müde und traurig ins
Haus zurück. Da sah er in einer Ecke der
Speisekammer einen Karton mit altem Spielzeug.

Und mitten drin, zwischen Bausteinen und
zerbrochenen Puppen, war Willi. »Was ist
geschehen?« fragte Alexander erstaunt. Willi erzählte
eine traurige Geschichte. Anne hatte Geburtstag
gehabt. Zur Geburtstagsfeier hatte jeder ein Geschenk
gebracht. »Und am nächsten Tag«, schluchzte Willi, »haben sie
viele alte Spielsachen in diesen Karton
geräumt. Wir werden alle weggeworfen.«
Alexander war den Tränen nahe.
»Armer, armer Willi«, dachte er.
Aber dann wurde sein Blick
plötzlich von etwas angezogen.
Konnte es denn wahr sein?

Ja wirklich, vor ihm lag
ein kleiner purpurroter Kiesel.

Ganz aufgeregt rannte er in den Garten, den
kostbaren Kieselstein fest zwischen den
Pfoten. Es war Vollmond. Außer Atem blieb
Alexander vor dem Brombeerstrauch
stehen. »Eidechse!« rief er schnell.
»Eidechse im Strauch!« Die Blätter raschelten, und die
Eidechse stand vor ihm. »Bei dem Mond,
dem runden, du hast den Kiesel gefunden. Wer oder
was willst du nun werden«, sagte die Eidechse.
»Ich möchte gern . . .« Alexander schwieg.
Dann sagte er schnell: »Eidechse, Eidechse,
kannst du Willi in eine richtige Maus wie mich
verwandeln?« Die Eidechse blinzelte.
Es wurde blendend hell.

Dann war alles still. Der purpurrote
Kiesel war verschwunden.
Alexander rannte zurück ins Haus,
so schnell er konnte.

Der Karton war noch da, aber er war leer. »Zu spät«, dachte
Alexander, und mit schwerem Herzen
ging er zu seinem Mauseloch unter der Fußleiste.

Da quiekte etwas. Vorsichtig schlich
Alexander näher an das Loch heran. Eine
Maus war darin. »Wer bist du?« fragte
Alexander ein bißchen ängstlich.
»Ich heiße Willi«, sagte die Maus.

»Willi!« schrie Alexander. »Die Eidechse — die Eidechse
hat es gemacht!« Er umarmte Willi, und dann
rannten sie in den Garten auf den Kiesweg. Und da tanzten sie
bis in die Morgendämmerung hinein.